흔한햄

❷

일러두기

1. 본 작품은 우울증에 대한 묘사가 일부 포함되어 있으므로 감상에 주의가 필요합니다.
2. 맞춤법과 띄어쓰기 규정에 어긋나는 것은 바로잡되, 작가가 의도적으로 표현한 것은 잘못되었더라도 그대로 두었습니다.
3. 띄어쓰기와 맞춤법은 국립국어원에서 펴낸 『표준국어대사전』을 기준으로 삼았습니다.

글·그림 잇선

위즈덤하우스

작가의 말

햄 얘기를 50화 정도 하다 보니까 어느새 햄이 진짜 친구처럼 느껴지기 시작했습니다. 실제로 만나서 얘기도 해 보고 싶고요. 뱃살도 만져 보고 싶습니다. 큰일이네요. 지금도 그런 상태입니다. 이 상태가 오래갔으면 좋겠습니다.

아니야,
진짜 존경해!
비결이 뭐야?
어떻게 해야
너처럼 살 수 있지?

일단.."어떻게든 되겠지.."라면서
개판으로 살아.
탱자
탱자
쓱쓱
개판
오케이.

그럼 얼마 안 가서
진짜 개판이 돼 버려.
아… 큰일 났다….
오케이.

그럼 어떻게든
위기에서 벗어나려고 발버둥 쳐.
후게에에
더 이상은 안 돼에에
오케이!

아니........... 적고 보니까
그냥 나잖아.
아, 그래?

지금은 어떻게
지내고 있는데?
뭐.. 개판이지.
....곧 또 열심히 살게 되겠지.

목차

작가의 말 04

4장

강박의 시작 12

로봇 흉내 26

나름대로 햄 38

무이이잉 세라 등장 56

말도 안 되는 칭찬 파티 70

고잉 홈 81

집 생활 94

플리마켓 108

생존 전쟁 120

잇선의 편지 132

5장

너무 자유 136
반짝 해피 148
사고 160
환기 172
친구네 집 정석 코스 184
밝은 그림 200
니힐릴리 211
또 새로운 시도 223
잇선의 편지 236

6장

쉽지 않음 240
띠용 252
면접 268
달랑이는 거 284
00 준비 298
돌아 버린 곳 310
꿈 321
내일도 살기 334
잇선의 편지 354

4장

그냥 이 불안함을

가지고 가자.

할 일을 잘한 날은
기분이 좋다.
뇨히~

아침에 개운하게
일어나고
스뽕
아~~ 오늘
컨디션 최고네!

핸드폰에 빠지지도 않고
큰엄
네놈이 하루를
망치게 두지
않겠다앗!
?

시원하게
아침 준비를 하고
칙
치게
칙
칙
으음~~~
너무 귀찮아~~~

산책도 좀
해 주고
아으
눈부셔!!
너무 오랜만에
나오니까앗~

차분한 마음으로
일을 진행한다.
느오오옷
쓱쓱
쓱쓱
네가 이기나,
내가 이기나
해 보자고!!

식사 시간엔
균형 잡힌
음식을 먹고
으암~
포속
포속
이거지!
건강에 좋은
개노잼 맛.

일이 끝나면
간단한 운동도 한다.
덜컹 덜컹
뉴우우읏
헉헉
나 드디어 진짜
햄스터 같네!!

남은 시간엔
자기 계발 좀 해 주고
apple을
발음해 주세요.
애플.
땡
애야폴.
땡
이예아포올~
땡
빌어먹을!

그 모든 일을
순조롭게 마치면
왕이 된 거 같은
기분이 든다.
비장
난 오늘 할 일을
다 끝냈고
나는 내 세계의
왕이다.

난 마음먹은 것은
뭐든 할 수 있고
천하를
다스릴 수도 있다.
근거 없는
자신감이
필요 이상으로
충만해진다.

비록 현재 가진 게
아무것도 없어도
뿌듯하긴
하다.
추욱..
뭐... 열심히 살면
복이 오겠지...

매일 이렇게
시간을 제대로
쓰는 거야..
헤헤.. 헤..
뿌듯해에~~

하지만 일이 조금이라도
흐트러지는 날에는......
쿠웅...
에으에...
에...

낮에 2시간쯤
핸드폰 딴짓에 빠져서
일을 못 끝냈어...
괜히 쪽금이 봐 가지고..
잘 시간도 늦었어..
아으...
끊임없는 자학이
시작된다..

나는 살 가치가 없는
햄스터야..
크읍
공기 아까우니까
숨 쉬지 말자.
파들 파들
누웃

푸하앗
죄송함돳!!!
공기 님..! 마셔서 죄송함돳!!
아후.. 아...

죽는 것도..
결코 쉽지가 않다.
아으...
흐으으... 흐으...
나는 내일도
살 게 될 거야..

일이 잘됐을 때는
왕이 된 기분.
누하하
다 덤벼라!
일이 안됐을 때는
폐기물이 된 기분.
아크킥
일을 중심으로
감정이 요동친다.

하지만 완벽한 하루는
소수이고

애매한 날들이
대다수인 것..

어느새 머릿속에
강박이 심어지고 있다.

나사 빠진 채로 살기.

우에으
에으어어...

요즘 엉망이긴 하지만
알바 끝나고 그림 좀
그려 보고 있는데..
긁적
긁적
긁적
뭔가 잘
모르겠다..

나름 열심히
하고 있긴 한데...
이놈의 실력이
늘고 있는지 도대체
감이 안 잡힌다..
후뉴웅...
미치겠네.
나 나아지고
있는 거 맞아..?

다른 잘하는 분들 보면
너무나 큰 차이가
느껴지고..
아니 이게..
같은 햄스터가
그린 게 맞다고..?
사기 치지
마!!!!!

그러다 내 그림과
비교하게 되기 시작하면..
아.. 잠깐만..?
어라...?

남이 그린 거.
샤방...
내 거.
후줄근..
......나......뭐냐...
왜 살아 있지..?

내 거 확 부숴 버릴까..?
앙???????????
처억
다 때려치우고
자연으로
돌아가 버려??

퓨우..........
아냐...
진정해...

그래도
예뻐해 줘야지..
쭉쭉쭉쭉
미안하다...

어쨌든 해야지.....
쓱쓱쓱 쓱
끼잉..
쓰레기를
그리더라도
안 하는 거보단
나을 거야...

이럴 땐 뇌를
비우는 게
도움이 된다.
머엉
쓱쓱쓱
주룩...

솔직히 그냥
기계처럼 살고 싶다.
아무 생각 없이.

그래서 가끔
로봇 흉내를 낸다.

안.녕.하.세.요.
위잉
끼각
이잉
치킨
저.는. 시.킨.대.로.
일.하.는. 햄.쥐.기.계
입.니.다.

생각을 하면
지는 것.
행동을 하면
이기는 것.
끼각
끽...
오.늘.도. 할.일.을.
해.볼.까.

끼적
끼적
끼적

....
뉴읏...

미래가 두려워잉~
뿌뇨옹~
하지만 결국 햄쥐도
감정이 있는 생물체다.

어쩌면 불안한 것도
당연한 거겠지…
흐기우
흐기…
그냥 이 불안함을
가지고 가자…

호돌대면서
갈 길 가기..

이게
내 방식이야..

희망

불안

호돌돌...

호도돌...

햄은 자기만의
얼탱이 없는
방식을 찾았다.

똑바로 살기로 했고
매일이 전쟁이다.
오늘은 결코
딴짓에 정신
팔리지 않겠어...

일단 아침에
일어난다.
띳띠띠띠띠
으헤에..
오늘은
알바 쉬는 날..
꼭 생산적으로
보낼 거야...

씻기 전에 연락 온 게
있는지 확인해 본다.
무잉...
아무것도 없네?
나 지구 왕따니?

그리고 그냥 끄기 아쉬우니까
SNS를 무의식적으로 누른다.
띡
흠냐~

그렇게 30분쯤
정신이 마비된다.
미히히
미히...
미이잉..

아, 안 돼!
정신 차려!!
짜앗
느옷

씻고 나서
자리에 앉는다.
포슬
포슬
오케이,
좋아!

그런데 뉴스 헤드라인이
눈에 들어온다.
뉴스: 햄스터를 토스트기에 넣은 힙스터
뭣?!

이건 안 볼 수가
없지..
뮤이 잉..
어머나!
세상에,
와~
달칵
달칵
달칵
그렇게 30분이
흐르고..

아??
나 뭐 하냐??

미친 햄
정신 차려!

부랴부랴
일을 시작한다.
부랴
부랴아
제대로
가 보자고!
쓱쓱쓱
50분이 지나고
휴~
아, 오줌!
휙

3분 쉬 싸고
변기에 앉아서
30분을 딴짓한다.
미히힝힝
미힝히

헉!
이러지 마,
일어나야 돼!

찌릿
느아아
다리 저려엇!

식사 시간
야무지게 밥 먹는다.
야물
야물
냐물

핸드폰.....
보고 싶은데
참아야겠지.

냐물
야물...
어우 너무
심심하네..

다시 책상 복귀!!
오케이,
가 보자고!!
처억

20분 후
꾸벅…
꾸벅…
느헤헤.
으헤…

요즘 잠을
잘 못 잤더니..
아우.. 졸리네.

이럴 땐 30분 정도
자는 게 좋다고 했어.
여응차
잠깐 눕자!

30분 후
띳띠띳
띠디

띳띳
띠
띳
으갸으으..
아..
일어나야
되는데..

지금 일어나야 돼..
흐느적
흐느적
히잉..
안 그럼 또
너무 자니까..

히기이이잇
일어나 으앗

오케이, 다시
업무 복귀!!
메에엥
가자..!!

근데 단톡방에
재밌는 사건 등장!
나방금 새똥 맞음
답장:
롸?

무지성 까톡으로
30분 소모...
!
키키킥
뮤잉
아 웃겨.
나 미치겠네!

에?
아니,
시간이..

쮸잉
정신 차려,
햄!

빡 집중 간다,
이제!
후우
후우

아... 근데
시간이... 벌써 4시라..
오후 4:00

그냥 오늘 좀
쉬는 날로 해 볼까..
하루 정도는 뭐..
어둠의 유혹
출현!

아.. 어떡하지..?
응? 어떡해..?
딸칵
딸칵
딸칵
키..
키킥...
그러면서 회피성
딴짓으로 2시간 소모...

아앗
오후 6:13

안.. 안 돼...!!
지금이라도 빨리!!!
무요이요

결국 저녁쯤부터
울면서 부랴부랴 일하기.
헐레
벌레
올레
벌레
몬스터
핫식스
자양강장제
난 멍청이야...
난 그냥
고양이 먹이야..

결국 새벽까지
해서 일을 끝낸다.
하으..

굉장히 지치고
배고픈 상태...
냐아아..

야식이나 한번
시킬까나...?
오늘을
마지막으로
말이지..?
스히히
히히..
한번 화끈하게
먹고 싶은데....

오케이
주문가자앗!!
주문하기
처
억

에이.. 그냥 참자...
그래야 내일 잘하지.

열심히 하면
좋은 날이
올 거야.

발랑...

제발 와 주세요..

매일이 어지럽지만
나름대로 햄은
애쓰고 있다.

슬슬 조급해지기
시작한다.
하우우웃
아우웃

9개월째..
알바하면서
그림도 그리고
투다닷
으이이
나름 열심히
살고 있는데..
흐기
흐기
뭔가...
좋은 소식이
없잖앙~
후비
후비..

나이는 벌써 27살..
더 이상 어린 것도 아냐.

보통 이쯤 되면
너무 어른이라
집도 차도 있고
번듯하게 살지
않을까 했는데....
번듯_번듯
보라..!!
이 몸의 번듯한
모습을!!

있는 건 껍데기뿐인 가죽....
뉴히
쫀득
잘 늘어나네..

바쁘다는 핑계로
친구들도 다 멀리하고
그랬는데..
미안...

이대로 친구도 꿈도
다 잃는 거냐..
푸쥬우...

다른 길을
알아볼까..
아니면 좀 더
버텨 볼까..

하루 종일 이 고민만
하고 있어용...
흐물..

또링
응?
세라
안녕하세요
저 햄님 팬인데요
그림 잘 보고 있어요
아무리 봐도 님은
천재 같아요

이거..
나 멕이는 거지?
꾸잇

그럼 더
멕여 줘어엇~~
푸뇨오오오옹

세라 님 고마워용~~
덕분에 힘이 나네요.
토톡톡
이후로 2주간
세라 님과 연락을 했다.
띠링
햄 님 살아 계시죠~
오우?
세라 님!

그러다 보니 가까운 곳에
산다는 걸 알게 됐고
저 산책중이에요
여긴.. 집 근처인데요
아?

저희 한번
봐야 하지
않나요?
오우
시간 되면
봬요!
토도독
이 분
인싸이신가?

묘잉
내가..
뭔 짓을?
어느새 만나기로
해 버렸다.

나.. 실제로 보고
욕먹는 거 아니겠지?
어우 생긴 거
봐라! 콱 씨!
죽을래?
죗..죄송..!!

아.. 아니면..
사회의 오물
청소하러 왔습니다.
쳐억
어어,
이러지 마세요!
이거
일리 있다.

아우.. 나 어떻게
되는 걸까..
꼼질꼼질
아직
죽기는 싫은데...

저...
햄햄이 님?
므에..? 네??

우와~~ 진짜 햄 님이네요!
반가워용~~~~~~~~
살랑
살랑
살랑
아
그분은 첫 만남 때
춤을 췄다.

살랑
살랑
샤을랑
길거리에서
춤을 춰..???
이게.. 인싸...??
아무도 협박하지
않았는데....

민망하지 않게
나도 맞춰 줘야겠지..?
오.. 오..
세라 님...

저도 반가워용..
우와~
씰룩
씰룩
씰룩
씰룩
왜 저래?
가까이
가지 말자.

와, 저 예전부터
팬이었는데 대박~~
정말요?

저는 햄 님 그림을
보기 위해 하루하루
살아간다고요...
무에에에에????

이분...
보통 분이
아니시네.....
햄은 곧
칭찬 감옥에
갇힐 예정이다.
과연 버틸 수
있을 것인가?

햄햄이 님은 분명히
성공할 거예요.
오.. 정말요?
혹시 이유가
있을까요..?

왜냐면... 제가
좋아하는 햄들은
전부 성공했거든요.
오....?

그건... 그냥
아무 근거가 없다는 뜻
아닙니까..???
두웅

근데 왠지
믿고 싶은
뎁쇼옹~
흐기잉이

이후 칭찬 폭격이 시작됐다.
최고의 햄!
천재 햄!
말도 안되는 햄!
우워어
진짜 햄!
햄 중의 햄!

천연 비타민!
보기만 해도 상큼!
입에 넣고 싶음!
맛있어 보임!
나도 지지 않았다.

우린 말도 안 되는
칭찬 배틀을 이어 갔다.

때때로 현타가
오긴 했지만
머엉…
이거 솔직히 의미가
있는 대화인 거냐..?

제가 응원하고 있는 거
아시죠~~!!
저도 응원한다고요~~!
뭔가 응원 받는 거 같은
기분이 들어서 좋았다.

돌아가는 길엔
괜히 열심히 살고
싶어졌다..
히 이...
내가 아주
바보처럼
살고만 있던 건
아닌 걸까...

물론 비판적인
의견도 중요하지만
말랑해진 마음에
달콤한 게 필요했다.
헤헹..
헤헤

며칠간 나는 실제로
열심히 살았다.
쓱쓱쓱
우아아아아앙
넌 죽었어!!!!!

주 4일 알바
주 3일 개인 작업
후우..후우..
쉬는 날은
없었다.
느아아아아
쉬는 건
죽고 나서
하면 되니까아!!

덕분에 SNS 계정에
팔로우도 좀 늘고
그림 실력도
좋아진 거 같았다.
8000
메헤헹
헤헹...

그 날도 알바가 끝난 뒤
팔랑
팔랑
휴...

집에서 일을
하려고 했다.
으응...
흠...

근데.... 오늘따라..
왜 이렇게 몸이....
추욱
무겁지..?
후우~..
요즘 너무
많이 먹었나..?

잠깐.... 쉴까.......

아.... 근데.......
쉬는 건...
어떻게 하는 거지...?

게다가 내가 지금...
쉴 자격이 되나..?
응...?
어으읏...
근데 뭔가 몸은
안 움직이고.. 아..
뭐지, 이거...?

제대로 일하지도..
제대로 쉬지도 못하는...
번아웃의
시작이다...!
느에에에..!
뭔데 이거..!!
혼란스러운
뎁쇼...??!!

며칠간
늘어져 있는 상태다.
뉴뉴늉 뉴늉...

잠깐만 정신 놓고 있어도
시간이 너무 빨리 간다.
슈웅
메롱!
아니, 잠깐
핸드폰 한 거란
말야~~ ㅠㅜ

뭔가 해야 되는 건
머리로 아는데..
꾸뉴웅..
왜 이렇게 몸이
안 따라 주는 거냐...

아마도 이렇게 된 건
최근에....
으이...

으갸아아 아아
죽는 게 휴일이야~~
타다다닷
쓰스슥
이래서
그랬겠지.

너무 과했어..
알바만 좀
안 했으면
좋겠는데...

근데
생활비는
필요하고...
긁적
긁적
긁적
방법이 없을까...
생각해 보자.

뭐가 있을까......
에.........
....
....
....
....

쑹
오!?

부모님한테
빌붙기이~?
호뇨옹~!??!..

그래, 차라리
부모님이랑
살면서..
취업 준비를
빠르게
끝낼까..?
하지만... 집에
들어가겠다고 하면..
뭔가 패배자
취급당하지
않을까나...

뭐엇!!!!!!!!!!!!!!!! 다시 집에 들어온다고??
이 수치스러운 자식!
내 가랑이 사이로 들어와라!!
허그윽~~
너무 좁아요오..!
이렇게
될 거 같은데..?

....
근데 알바 계속
하는 게 더 싫어.

일단 전화 한번 해 보자...
또로리
리리

어... 저.... 엄마...
나... 그...
당분간 집에
들어가서.. 저기..
그림 좀 그려 볼까
하는데요...

그래,
와.
에?
생각보다 쉽게 진행됐다.

아르바이트도
금방 정리됐다.
저...
그만두려고요..
너 미워.
예?

부웅–
용달
뭔가
시원섭섭하네..

집에 온 날엔
왠지 마음이 편했다.
다 처무라.
호옹옹옹이~~
자취방에선 구경도
못했던 음식이잇~~~

침대는 포근했다.
포옥신~~
뉴히히힝
이런 폭신함
얼마 만이냐구우~~

당분간 가스비, 전기세, 생활비,
집세, 병원비, 고독사 이런 거
생각 안 해도 된다니....
헤블레~~
좋다...
나는 긴장이
잔뜩 풀어졌다.

내일부터는 이제
시간을 아주
가치 있게 보내는 거야..!!
불끈~
이런 기회도
다 행운이니까..!

다음 날
좋아,
가 보자고오옷~~!!!!
햄아, 가서
파 좀 사 와라.
아?
오케이.........
찹
찹
찹...
집에 왔으니까..
심부름도 하고
부모님도 도와드리고
해야지, 응.

이제 다시
제대로 가 보자아앗~!!!
와서 밥 좀
해라.
아?

네...
그리고
빨래도~
....
아무렴요..
꼼질..
가족 안에서
잘 적응할 수
있을 것인가, 햄?

부모님 집에서
백수로 지낸 지
일주일째..
후이...
슬슬 압박감이
느껴진다...

맨날 놀지 말고
밖에 나가서
밤 좀 따 와라!!
나 노는거
아니라고요오~ㅠㅠ
집에 있는 게
노는 거지, 으이!?
먼저 부모님은
내 일을 이해 못 하신다.

틈틈이 한 소리 듣는다.
물 좀
마셔 볼까나~
끼익..
너 결혼
언제 하니?
메?

새벽 6시
생활 패턴이
다르다.
나와서
밥 처무라!
나 잠좀 자게
해주세요오오~~ㅠㅠ
먹고 또 자.
싫어어어어

부끄러운 상황이
일어난다.
휴.. 1시간
열심히 했다..

느헤헤
쓰윽
잠깐 쉴까...

너 또 놀고 있니??
어..??
야.. 아니아니
너 또
놀아???
아우!!
그게
아니라요오오ㅜㅠ

갑작스러운
행사가 많다.
우르르르
친척들
좀 왔다.
어어~
햄, 안녕?
에..에..?
아..아빠?

요즘 팡팡 놀고
있다며~~
으어어
아니에용..
살 좀
찐 거 같다?
저는 방에
가 있을게요..
휴.......................
달
칵..

나........ 집이랑
안 맞는 거 같아앙~
뿌뇽~

물론 알고 있지...
여기서 의식주
걱정을 안 할 수
있는 건..
너무 큰 은혜고
감사한 일이야...
하지마안..

잊고
있었어..
부모님과
붙어 있으면
3일에 한 번씩
싸운다는 걸..!!
메에엥...

여기서
나가야 돼..
하지만
어떻게..?
취직하기..?
아직은 못해.
밤 따서 팔기?
아니야..
톡틱 깔고
춤추기?
아냐...
종이 주워 팔기?
이건 진짜 아냐..

휴.. 모르겠네.
친척분들은 가셨을까..
쭈물
우물...
사실 아까부터
화장실 참고
있었는데...

끼익..
어, 햄
나왔..
에?

햄, 너 그림 그린다며~
아 그게..
보여 줘 봐.

안.. 안 돼요..
별거 아니에요..
히이이!
퍼뜩 들고 온나!!
기다리시잖아!!
그래, 함 보자.

저.. 이런 건데..
보자, 보자.
오.....
어디 보자~
어디.. 으이..
뭐꼬, 이게?

이게 돈이
되나?
그냥 퍼뜩
취직해라!
콱 마!!
아니, 그게
지금은..
너 햄안84처럼
되는 거니? 멋지네~

일로 와 봐라.
니 앞으로 어떻게
살라꼬?
생각 좀
해 봐라.
아직 쉬야도
못 했는데..
너 만나는
햄은 있니~?

어디 가지 말고
여기 딱 차렷하고
딱 있어 봐라!!
아니 그
화장실 좀..
니도 이제
자리 잡아야제.
아유 얘
싼다잖어~

니 나이대에는 인마
어쩌고 저쩌고 으이?
그러니까 니도 얼른
어쩌고 저쩌고 으이?
그러니까 내 말은
(같은 말)
으쩌고 저쩌고 으이?
진짜...
떠나야 된다, 여기.....

아이디어가
떠올랐다.

아빠, 나 이거면
뭔가 될 수 있을 거
같아!

짹
짹

뭔데?

바로 굿즈 사업..!
척여—
굿.. 뭐?
굿한다고?

내 그림으로 엽서도 만들고
인형도 만들어 보는 거.
우헤
열탱이
굿즈들
너무 귀여울 거
같지 않아~?

오........
차라리
취직을 해.
이게
되겠니..?
느아앙
두고 봐. 내가
보여 줄 거니까!!

제대로 해 보자고!
돈 때문에
괴로워하는 건
지긋지긋해..
느으으
빨리 독립하고
자리 잡아야지.

며칠간 햄은
사업 뽕에 취했다.
사업 등록은
금방 되는구나~
세무서
후게에에에
내가 '대표'라니~

앞으로는 걸을 때도
대표처럼 걸어야지.
엄격
근엄
촜촜

좋아...
어디 팔 만한 것 좀
만들어 보자.
엽서 회사도
알아보고..
인형 회사도..
포장 회사도..
뭔가
많네~~~~

1시간 후
오케이 이제
계산을 해 보자...
제작 자격..
택배 가격...
판매 가격...
추욱...
....
쉽지 않네..

3시간 후
세금...... 계약......
서류.. 이게 다 뭔데....
추우욱...
죽여 줘.......

벌써
머리 터질 거
같잖앙...
흐그늉...
대체 사업하시는 분들
어떻게 살고 계시는
거냐고요...

햄은 일단
약간의 돈으로
얼탱이 굿즈들을
만들었다.
와, 진짜
얼탱이네.

그리고
플리마켓에
참가했다.
햄
두근…
메헤헤..

얼탱이는 그냥
컨셉이었는데...
햄
어쩌다 보니
나만 진짜
얼탱이가 됐어...

햄
뭐, 됐어!
씩씩하게
해 보자..!
어차피
시도해 보는 거니까..!

2시간 후
손님 제로
햄
휘
에엥...
아......
햄
여기 앉아 있는 게...
굉장히.. 민망하네?

아무래도..
나 또 망한 거
같은데..?

훌쩍..

오오 햄 님~~~~~~~~
좀 늦었네요~~~ 호호홍!
친구들도 제가
영업해 왔지용~~
어.. 세라 님..?

와~~~
얼탱이 굿즈
진짜 얼탱이네~
어어...
에...?
귀여여어웜~~~

사랑해에에에에

응?
뭐지?

사장님
우는데?

양파 드셨나?

갑자기?

참가했던 플리마켓은
그냥 친구들
모임 장소가 됐다.

우와 너무 이뻐용~

햄

이잉뇨잉

오랜만에
울쥐도 보고..
네가 이런 걸 다
준비하다니 너무
자랑스러워..
훌쩍..
우리 엄마도
그렇게 안 울었는데..

커트도 보고
제대로
하고 있네.
손님이
지인밖에
없어..
성공 신화
첫 단계지.
에..?

그래도 아예
안 팔린 건
아니라서
적자는
아니었다.
덜컹 덜컹
이 정도면
됐어..
와..
체력 완전 방전.

이후로는 요령이
생겨서 일을 굴리는 게
편해졌다.
처음이
미치도록
어려웠던 거였네..
햄 굿즈 인터넷 판매
신규주문 5건
지금은 평범하게
어렵고.

점점 이 일에 매력을
느끼기도 했다.
출퇴근도,
스케줄도
내 맘대로네~
놋놋
내가 왕이고
보스지~

물론 할 일은
여전히 많았다.
주섬
주섬
포장지
나는.. 왕이자 노예고..
보스이자.. 쫄다구..

가끔은 생각이
너무 많아서
지쳐 버렸다.
푸쥬우
앞으로 또
뭐 하지..
미치겠네..
햄 놀지 말고
파 좀 사 와라.

그래도 가끔
수익이 나서
돈을 모으긴 했다.
햄 굿즈 인터넷 판매
신규 주문 8건
대체 어떤
자선 사업가들이
내 걸 사 주시는 거냐고요...
사랑해예......

약 6개월 뒤
겨우 작은 방을 얻을 수 있는 돈을 마련했다.
햄계좌 600만
돈이.. 이렇게 소중한 거다...

나는 곧 집을 구해서 나갔다.
안녕히 계세요~~
빨래 하고 가.

햄 꼬리만 한
방이었지만
해방감이
끝내줬다.
와.. 나만의
방이라니...
호 돌돌 돌돌...
최고오...

내 마음대로
살 수 있다니....!
난 여기선
신이고..
조물주다..!
솔랑
솔랑
와후
와후

바로 다음 달
생활비를 걱정해야
하는 신.......
....
...세상 모두가
신이다..

나는 다음 날부터
열심히 일을 했다.
열심히 해서
부자 돼서
나가는 거다...
쓱 쓱 쓱
성공 신화인 거지~

하지만 사업이란
종잡을 수가 없는 것...
햄 굿즈 인터넷 판매
신규 주문 2건
긁적..
왜...... 요즘
잘 안 팔리냐.........

안 팔리는 이유는 잘
팔리는 이유만큼
생각하다 보면
끝도 없다.
뭐 때문이지..?
비싸서..?
싸서..?
내가 이상하게
생겨서?

살아남기 위해서는
뭐든 해야 했다..
세상은
만만하지
않아..
정말 뭐든
해야 돼..
으이이
각오를
다져야 돼...

결국 나는
수치스러움을
무릅쓰고
안녕하세요,
햄햄입니다앗~
뽕실뽕실
라이브 쇼로 홍보도
하고 그랬다.

결과는...
나쁘지 않았다.
헤헤.. 헤..
주문이 좀
들어왔네..?
겨우 생활비는
만들 수 있겠어..
다시 생존 전쟁이
시작된다.

잇선의 편지

아이공~~
햄이 큰마음 먹고 집에 갔는데
결국 다시 나왔네요.

제 나이가 지금 거의 환갑인데
20살 때부터 독립생활을 했어요.

가끔은 집이 그리워서 조금 붙어 있어 볼까 싶었는데
이상하게 막상 집에 있으면 왠지 불편해져서
3일 만에 결국 다시 나오곤 했죠.
어쩔 수 없는 기질이 있나 봐요.

아무래도 혼자가 편하다 보니까 그렇게 되는 거 같은데요.
웃기게도 또 너무 혼자 있으면 심심해져서
다른 사람을 찾게 되고 그래요...

저 한 대 때리고 싶죠..?
저도 그래요..

앞으로도 아마 계속 이런 반복을 하게 될 거 같습니다.
그래도 자신의 성향에 맞게
이런저런 선택을 해 보는 건 좋을 것 같아요.

여러분들은 후회 없는 선택을 하게 되시길 바라겠습니다.
호이잉잉잉~

5장

최대한
이 행운이
오래가도록
응원했다.

사업 생활은
자유롭다.
오케이!
오늘도 스케줄
내 마음대로
해 보자고~~!!

너무 자유로워서
문제랄까?
새벽 3시
퇴근.......
이라는 게
없어..?
퀘
엥...
에에........

쉬는 날도
내 마음대로
뉴후후
마음 내키는 대로
막 그냥 쉬어 버려야지!

오히려 그래서
쉴 수가 없다.
......공휴일도
....주말도.....
....평일도.....
흐뉴..
다 똑같이
일만 하게
되잖아....

수익도 자유롭다.
처억
제대로 해서
월에 1조
찍어 버려???
앙???

어제 매출
2천 원...
.... 이제
그만 자유롭고 싶어..

아이디어가 곧
돈이 되기 때문에
종종 불면증에
시달린다.
또 뭐 할까..
뭘 해야
잘될까..
왜 내 팔다리는
짧을까..

그래도 매력이
있는 일이긴 했다.
쪼몰딱
쪼몰딱
뉴후후.. 또 얼탱이
없는 거 만들었다...
겹네..

얼른 잘돼서..
좀 안정적으로
살면 좋겠다...
으에...
사업은 불안함과의
싸움이다.

햄아~~
오랜만이야.
웬일로 만나자니까
바로 나왔어~?
방에서 혼자
썩을 뻔했는데
니가 불렀어..

요즘 일하는 거
힘들진 않아~?
힘들지..... 그래도 어찌저찌
살아가고는 있어.

장하다
장해.
토닥
토닥
.....
너 왜 이렇게
엄마처럼
돼 버린 거니?

엄마한테 뽀뽀 좀
해 주련..?
나 엄마한테
뽀뽀 안 하는데..
안 넘어가는구나.

돈 벌기가 쉽지 않지?
그치.. 생각을 많이
해야 되니까..

안 그래도 머리가
햄스터만 한데 미치겠어.
확실히
햄스터긴 하지.

뭐가 제일 어려워?
아이디어지
뭐..

아니, 사실
다 어려워.
그치 그치.

아이디어라... 한 4미터짜리
인형을 만들어 보는 건?
쿠웅...
제정신이면
안 사겠지?
맞아.

그럼 엄청 작은
키링 같은 건?
쫄랭
요즘 그런 거
사나..?

찰랑
찰랑
응?
뭔 소리야?
워낭소리?

찰랑 찰랑
주렁 주렁..

......보따리
장수야?
아니..
그냥 학생이야.
오우!
뭔가..
귀여운데..?
저거 좋은
아이디어 같다..
잘되면
나 아이스크림
좀.
4미터짜리로 살게!

그렇게 1개월 뒤
만든 키링.
흐에....
짤랑
작아서
귀엽긴 한데..
잘되려나..
딸깍
햄키링
일단..
판매 시자악!!

제발...
잘되게 해 주세요..
꾸벅..
안될까 봐
넘 무서워잉..
흐게에...
흔한 자영업자
햄의 모습이다.

키링 판매는 꽤
반응이 좋았다.
햄 인터넷 판매
신규 주문 50건
신규 주문이
50건...???

최대한 이 행운이
오래가도록 응원했다.
찰랑
찰랑
힘내라!
힘내라!

홍보도 열심히 했다.
묵직;
너무
많이 달았나?
이 정도는
해 줘야지, 요즘에.
수익은 순식간에
불었다.
뉴에엣!!
그... 그럼
순수익이..
400만...??

돈을 버니까 조금이나마
안정감이 느껴졌다.
후뉴웅
나.. 이제 조금
마음 놓아도
되는 겁니까...

그리고..
이제야 하고 싶던 걸
할 수 있게 됐어...
드디어
햄이 고대했던
순간이 왔다.

아무것도 안 하고
하루 죙일
자빠져 있기.
후게엥...
내가 이날을
얼마나 기다렸다고...

그리고 친구들에게
밥 사기.
코끼리 아이스크림
울쥐,
내가 사 놨어.
뉴에에에?

무.. 무슨 일이야?
나.. 키링 판매가
꽤 잘됐거든.

헉.. 정말?
응!
그.. 그럼..

먹는 거다,
배 터질 때까지.
퓨퍄 퓨퍄 퍗 퍗
냐무냐무냐무
최고오오옷~!!
으에... 햄..
축하해...
다 네 덕분이지...

햄~ 웬일로 네가
먼저 연락을 해?
무슨 일이야?
촙
촙
아, 그게..

감사 표시 좀
할 겸
한턱 쏘려고.
보옹...
BEER
BEER
오 마이 가쉬!
맥주 안주 보소.

보옹...
성공 신화...
이제 시작이다, 햄...
오케이....

햄 님~ 무헤헹헤헹
잘 지내셨어용~~???
살랑
준비됐나?
예?

맛집 인증
보옹..
너무......
잘 먹었어예...
계속 응원하겠다고요...
느헤헤헤...

좋았어!
이제 일도 다시
제대로 해 보자고…!
쓱쓱쓱
어디 보자,
어디 보자아~

하지만 행운은
오래가지 않았다.
이번 달 매출 2,260,000원
엥…? 그럼 순수익이..
100..? 반 이상이
줄어 뿌렀어..?

이제… 나대지
않을게요…
정신 똑띠 차리고..
열심히 살자…
또다시
느껴지는
위기감.

마음 같아선..
세상 미워
다 미워어어...
흐규으으
살짝 현실 도피
하고 싶지만..

열심히 해야지..
그림도 더 그리고..
굿즈도 더 열심히 만들자..
누웃..
흐읏..
햄은 글썽거리며
일하기로 했다.

다시 밤낮 없는
생활의 시작.

아으잉

다시 은둔의 삶을
살기로 해서
요즘 집구석에
또 박혀 있다.
좋앗.. 돈 잘 벌면
그때 나가 노는 거다..!

근데 막상 너무
박혀 있으니까..
집에서 너무
일만 하니까...
침울....
조금 미칠 거
같아요..

그래서 막상
나가게 되면..
오오~!
흐냐... 집에 박혀서
뭔가 해야 하지 않을까...

그래서 막상
집에 박혀 있으면..
흐뉴..
화창—
밖에 날씨는
또 왜 이렇게
좋냐구요~

그래서 막상
나가면..
히기깅..
너 표정이 맛이 갔네?

너 요즘
무리하고 있지?
초췌..
그걸..
어떻게..?
딱 보면
알지.

그들은 심각한
작전 회의를 했고

가 보자..
내가 도와줄게.
오케이
전세 역전
가 보자!
쳐억
진지한 마음으로
일을 해 보기로 했다.

뽕끼
뽕끼
뽕끼
찰랑
찰랑
찰랑
오케이!
바로 이거야.
그렇게 홍보도
열심히 하고

판매도
열심히 했다.
다 하면 짜장면
사 주냐?
후기
후기
무조건!

덕분에 어느 정도
수익을 올릴 수 있었다.
이번 달 매출 7,325,000 원
오오......

좋아 이대로만
해 보자..
싱글
싱글
커트한테
너무 고맙네..

반응이 좋으니까
힘이 난다..
오늘도 열심히
해 볼까앗~!!

쩌리잇
오뇨뇻...?
그 통증은
뭔가 열받는
통증이었다.

으읏..
뭐야, 이거?
크게
아프진
않은데...
시큰
시큰..
뭔가
신경 쓰이고..
그냥 열받는데..?

뭐, 살다 보면
낫겠지!
쓱
쓱
쓱

찌릿
엑

부스럭
부숙

시큰
으엑

2주 뒤
우욱신
히기이이
손가락에 힘이..

나 결국 병원
가야 되는거냐아앗~!
애써 피하고
있었는뎁쇼오~!

신경 손상입니다.
4주는 쉬셔야 돼요.
예..?
4주요..?

병은 사고처럼 찾아온다..

요즘은 손이
좀 아파서
쉬고 있다.
녜헤헤..

그래도 요즘
저금한 게 좀 있으니..
한두 달쯤은
괜찮겠지..?

근데 뭔가 이렇게
막상 아무것도
안 하고 있으니까..

아주 달아요........
헤블레~
아무것도 안 하는 것만으로
이렇게 재밌을 수가 있나..

마치 학생 때
살짝 아파서
조퇴하고
집에서
'합법적인'
개꿀 딴짓하는
느낌이랄까..
ICE
토도도돗
감기 약간
토도돗
이게 치료고
이게 힐링이지~!

난 이 시기에
드라마와 오락에
다시 빠졌다.
후에...
도파민 맛이
참 좋네..... 응.

2주 뒤 치료가
거의 다 진행됐다.
정형외과
쉬니까
금방 낫네..?
일을 해서..
아픈 거였어?
어쨌든 이제
슬슬 다시 일을
해야겠지..
......

근데 뭔가...
이제 쉴 날도
얼마 없을 텐데..
좀만 더
쉬면 안 될깝쇼...?
콰삭
어느새 휴식에
익숙해져 버렸다.
메헤헹...
치료가 다 끝났어도
왠지 일에 집중을
잘 못했다.
세상에서 가장 센 동물 top10
아우 미치겠네.
왜 이렇게 자꾸 딴짓하지..

어느새 너무 커져 버린
'딴짓 관성'을 막기가 어려워진 것이다.
딴짓관성
콰자자작
〈오락〉
〈SNS〉
〈인터넷〉
〈드라마〉
아우~ 님아~~
좀 멈춰 주세요~~

뭔가.... 쉬는 방법이
잘못되긴 했지..
우걱우걱
우헤헤
넘 맛있네에~
그건 '휴식'이라기보단
'놈팡이 짓'에 가깝달까..

아무튼..!
다시 정신 차리자!
짜앗
이 말만 천 번
한 거 같은데..!
어쨌든!!

그렇게 햄은
거의 한 달간
고생한 끝에
아우웃..

아웃
또 딴짓했네.
열탱이 비디오

오늘도
망했어..

휴 오늘은
괜찮다....
겨우 루틴을
다시 잡았다.

하지만 예전과 달리
수익이 많이 낮아졌고...
후게에에...
이번 달 매출 1,211,000원
다 어디 갔어예~~
ㅜㅠㅜㅠ

다시 뭔가
빡세게 하면
또 아플까 봐
걱정됐다.
딜레마다, 이거..
굶어 죽느냐..
아파 죽느냐..

이러다 보니..
회의감도 조금 생겼다.
으에에이..
뭔가........
이 길은 내 길이
아닌 걸까나......
아니면 그냥
내가 미쳐 버린
변덕쟁이인 걸까나.....

울쥐한테
한번 물어볼까....
울쥐~~ 나 고민 있는데..
와우 내가 제일 좋아하는
순간이넹~~
타다닥
오우?

그렇게 울쥐와 나는
상담 타임을
시작했다.
내가 이래 이래서
저러 저런데에..
오오 고민
많았겠네..

그러면
당분간 내 집에서
살아 보는 거 어때?
멕?

그게 도움이
될까..?
약간 환기
시키는 거지..
맛있는 것도
많이 먹고.
...벌써
침 고여예..

울쥐의 집은
아담하고
귀여웠다.
우와~~
너무
좁지?
최고 아늑한뎁쇼..

일단 친구네
집에 오니까
그냥 신났다.
우와~
이게 뭐야?
멋지다!
라면 국물
튄 거.

이제 우리 뭐 할까?
일단 첫날엔
'친구 집 정석 코스'로
가 볼까?
오우 좋지!

1. 배달 음식 부수기.
와물 야물
뇨물

2.TV 보면서 늘어지기.
코속 코속
쟤 웃기더라~
그니까!

3. 영화 보다가 잠들기.
끔뻑 끔뻑..
친구 집
정석 코스
좋네..

다음 날 일어나 보니까
울쥐는 이미 깨어 있었다.
타다닥
타닥
응?
오...
부지런하네..

울쥐~ 일해?
응응.
난 10시부터
6시까지 일해.
오..
부지런하다.

아니,
부지런한 게 아니고..
안 하면
굶어 죽으니까..
헤에..
오.....
그거 알지...

일하는 거
보니까...
주섬
주섬
왠지 나도
일하고 싶어지네..

같이 일하니까
뭔가 재밌잖아..
토도독
토도독

띠디딧
앗, 10분 쉬는 시간이다.
오?
스트레칭하자!
역시 부지런하네.
헛둘
핫둘
홧둘
아니, 안 하면
죽으니까..
왜 이래,
자꾸~

점심은 귀리죽.
헤에..
달칵
오.. 평소에
이런 거 먹어?
응.. 헤헤.
신기하다~

건강에는 좋아 보이네..
치덕...
근데 맛이
있을까..

쏙

왓 뜨겄!!
화암 나~!
크크, 아이공~
불어서 먹어야
되는데..

저녁 6시.
오늘
일 끝~~
오오~~
나도~~
뭔가 일도 하고
재미도 있고 좋네~

남은 시간엔
뭐 할 거야? 울쥐?
바닥에
자빠져 있기.
에?

뭔가.. 부지런하게
다른 거 할 줄 알았는데..
아니야, 햄..
절대 아니야..

여유는 무조건
챙겨 줘야 돼, 햄..
여유가 곧
행복이야...
거기에 목숨
걸어야 돼..
여유를 위해
죽어야 돼..!!!
어우
진심이네.

근데.....
여유도 돈이 있어야
누릴 수 있지 않아?
예리하구나, 햄.
맞아..

그래서 나 쉬는 날에
글 쓰잖아... 헤에..
이걸로 뭔가
해 보려고..

오오..!
볼 수 있어??
으응..
부끄러운데
햄이니까 보여 줄게.

악역 영애 배틀로얄
살아 남은 자가 왕이 된다
악역 영애 킥
악역 영애 춉
"드루와 드루와"
드루이안 영애가
말했다
....

어때..?
...최고잖아....
이런 거 어떻게 하는 거야?
비법 좀 ...
각자의 방식대로
열심히 살고 있었다..!

지금 햄은 울쥐의
글을 읽는 중..

악역영애 배틀로얄

"악역영애 가르기"

쓱 싹

다른 악역영애의
목이 떨어졌다

-182화 끝-

와.....

다 읽었어..
다음 편 나올 때까지
숨 참을게.
꾸웃
파들
파들
진정햄, 햄..
그러다 죽어....

아니, 나는 네가
글 쓴다길래..
뭔가 감성적이고..
그런 거 쓰는 줄 알았는데..
그런 거
좋아하긴 하지..

근데 난 그런 거 안 써..
돈이 안 되니까..
에에..??
차가워엇!!!

나도 예전에
써 보긴 했는데..
사는 건 허무
의미는 처음부터
없고
감정도 한때
어두웠!!!

그런데
반응이 적었어...
그래서
남들이 원하는 걸
제대로 보여 주자..!
..라는 느낌으로
갔지..!!
오오..

뭔가… 배울 게 있네…
나는 나 하고 싶은 대로만 했는데…

울쥐… 너 프로네…!!
흐녜헤헤 아니야앗~
이게 프로지..!

아니, 너 진짜 대단한 거라고..!!
부끄러잇~!
콕콕
악역 영애 킥!
악역 영애 촙!
아!
아!

집으로 돌아가는 길에
나는 열의가 생겼다.
세상아
딱 기다려라..
내 새 그림으로
다 뒤집는다..
물론 이 얘기 이미
수천 번 하긴
했는데에..!

일주일간 나는 발랄한
그림을 많이 그렸다.
그래..!
힐링 느낌으로..!
쓱쓱쓱
이런 게
잘 먹히겠지..!

놀랍게도
잘 먹혔다..!
좋아요 2,532
달라진 느낌도 귀여웡~
드디어 밝아졌네.. 살려드립니다
아 왜용~

나도
당황했다.
아... 아니
진짜 좋아한다고..?
대체 왜..........?
진짜 모르겠는데?
아무튼
사랑한다고요..!!

매출도 다시
올라서 마음이
좋았다.
어어... 돈이 되니까..
의욕이 더 생겨..?
이번 달 매출
6,321,300원
내가 이렇게
줏대가 없었나?

틈틈이 여유 시간도
갖기로 했다.
30분간
그냥
자빠져있기
와... 이게
사막의 오아시스다 ..
무히힝...
아무것도 안 하는 시간이
이렇게 중요했어예...

햄은 그런 삶을
약 3개월간 유지했다.
흐으음..
흐에..
히이..
뭔가.. 하다 보니까..
하게 되네...

느에에...
뭔가.....
의욕이
바닥이다..
그리고 얼마 안 가..
이상하게 질려 버렸다...

남들이 원하는 것만
신경 쓰다 보니까...
생각이
굳어져 버리고...
의욕이 빨리
식어 버리네..
이걸 어쩌지...

게다가 독자님들
반응도...
좋아요 1,123
이 정도로 밝아지는 건 원하지 않았는데
님 연애함? 아 패고 싶네
제발 부탁드립니다
이거..
쉽지 않다..

띠링
커트
햄.. 요즘 밝은 것만 그리던데
어디 문제 있는 거 아니냐
에... 커트..!
정확해...!
심리 분석가니?

소주 한잔?
......
좋아용.......
소주가
필요할 때가
있다...!

크~ 세상이
쉽지가 않아,
쉽지가~

내 맘대로
되는 게 없숴~!

그치.

뭐가 문제야, 햄?
흐규...
요즘.. 남들이
좋아할 만한 거
그리고 있는데...
반응도 적고
의욕도 없숴..

내가 봤을 때 너는
너무 잘하려고 해서
그래.
멧?

힘을 좀 빼 봐.
약간은 맛탱이가
가야 살기 편해.
그... 그거
어떻게 하는 건데..?

일단 걸을 때도
이렇게 좀비처럼 걸어 봐.
어기적..
그... 그게 도움이
된다고?
해 보면
알지.

느…
느에에
어기적
잘하는데?
소질 있어.

눈도 이렇게
풀어 주고.
퀘엥…
그치,
그치.

에게겡..
에게..
주륵..
너무 갔다,
그건.
정신 좀
차려, 햄.

아무튼 어때?
도움이 돼?
아니.......
아예 모르겠어.
곧 알게
되겠지.

남들 원하는 거에
너무 신경 쓰다 보면
스스로 뭘 원하는지
잊게 돼.

그.. 근데 신경
안 쓸 수도 없잖아.
이 자식아..!
콰악
도대체
어떡하라고옷~!
열정 보소?

슬픈 걸 그리면
슬프다고 싫어하고
밝은 걸 그리면
밝다고 싫어해..!
차라리
날 패 줬으면
좋겠다고....!

어... 패 드릴까요?
아뇨,
사양하겠습니다.
불끈
이건
사양해야지.

그렇다면......
슬프면서
웃긴 걸 그리는 건?
!!!

지금 당장
웃으면서 울어 봐.
으..으흐히 뉴히힝..
잘하네,
이거지.

그대로
춤도 춰 봐.
뉴히흐힝
샬랑샬랑
바로 이거지!
재능 있네.

........이거 그냥
놀리는 거잖아..
맞긴 한데.
내 말은 균형감에
대한 거지.

.....좋아.. 참고해 볼게.

하.. 근데
피곤하다.
커트, 너네 집
가깝지...?
응.

나 자고 가도
돼?
오우?

지금.. 무슨 일이
일어나는 거지?
어딜 보고 얘기하는 거야,
갑자기?

왕~ 여기가
너네 집이야?

귀엽다~

무너지기
일보 직전이야.

우와~
책이 많네~~?
어쩐지 뭔가
똑똑하더라.
나 돌대가리야.

근데 어째
책 내용이..
우중충…
윤수 좋은 동물
동물실격
동물 농장
파리지옥
우바우
이상징후
크크
볼만해.

책 많이
읽나 봐.
가끔 읽긴
하지.
그래서 정신이
이상해진 거 같아.
에??

사는 게
허무하게 느껴져서
지금까지
하고 싶은 대로만
살았거든.
와우.. 그래서
어떻게 됐는데?

거의 30년
가까이 방황 중이지.
BEER
와우 거의
여행가네.

요즘은 이러면
안될 거 같아서
알바도 하고
취직 준비도
하고 있어.
정말?
멋지다!
전혀.

혼자 사업하는
네가 더 멋지지.
난 지금이라도
때려치우고 싶어!!!
버럭
화끈하네.

휴..... 나도
취직 알아볼까..
요즘 다시
월급의 맛이
그립던데..
그치.
한번 해 봐.
나도 도와줄게.

하... 근데 잘될까..
사는 거 어렵다..
완전히 지옥이지.

이럴 땐 마셔 줘야 돼.
꼴꼴
그래, 마시고
좀비 놀이나 계속하자.
오케이!

흔들 흔들
흔들
헤헷
헤
헷

다음 날
에에엥...
헤엥...

와우 오후 1시..
푹 잤네..
그러게...
헤롱...
헤헤..
기분 좋네~
커트..
너한테
들은 말
다 도움 됐어.
기억나긴 해?
....
.... 얼추?

고마워.
꼬옥
오우?

이거.. 그냥
술 덜 깬 거지?
느헤헤헤
딸꾹!

집으로 가는 길에
햄은 또 다짐했다.
좋아.. 또다시
새롭게 시작이다..!
이 다짐이
몇 번째인지 세는 건
포기했어!

햄은 슬프면서
웃긴 그림을
그려 보기로 했다.
photo
쓱쓱쓱

그리고 취직 준비도
조금씩 알아봤다.
여기 회사
괜찮나..?
가족 같은 회사
: 여기 올 바엔 감옥 가셈
: 이 글 보고 감옥 감
오우!

오늘도 햄은 뭔가
조금씩 해 보고
있긴 하다...!
뭔가 차근차근..
찾아보자..
토도독
토독..
안 그럴 수도
없으니까..

잇선의 편지

요호호호
햄이 다양한 방법으로 그림을 그리려고 하네요.

저도 그림을 그릴 때 다양한 시도를 하곤 하는데요.
엄청 이상하게 그린 적도 있고,
완전히 제 마음대로 그린 적도 있고,
최대한 예쁘게 그린 적도 있었거든요.

그때마다 반응이 많이 갈렸는데,
역시 귀여운 그림이 제일 좋았던 거 같습니다.

요즘은 귀여우면서 살짝 바보 같은 게 느낌이 좋은 것 같아요.
저도 그런 스타일이 좋아요.
아마 제가 좀 바보 같아서 그런 거 같습니다.
동질감을 느낀달까나~

이 글을 쓰는 바로 전날에도
딴짓하느라 늦게 자 버려서 괴로웠었죠.. 호호호..

일상에서도 아직 바꿀 게 많은 것 같습니다.
여러분들은 잘 맞는 삶을 금방 찾게 되시길 바라겠습니다.

다음엔 또
어떻게 할까나~
흠
냥..

6장

이 시기를
어떻게
극복할 수 있을까?

요즘은 뭔가
별일이 없다.

흐니니..
흐니..

그냥저냥
살아갈 뿐..

이번에
'웃픈' 컨셉 그림들은
반응이 적당히 좋다.
좋아요 2,523
적당히 슬프고 적당히 웃기네.. 살려준다
아이잉 왜요~

그렇다고 수익이 막
대단한 건 아니다.
스팟
스쳐
지나갈게요~
좀 더 머물지
왜엥~

그래서 취직 준비도
조금씩 하고 있다.
Mail
취업 신청 결과 안내
허그어억..
왔다.. 왔어....
두근
아.. 으..
누르기가..
무서워엇~!

근데 확인
안 할 수도
없고...
두근
흐뉴으
두근
두근

귀하의 소중한 지원
감사드립니다 결과는
탈락입니닷~~~~
에~~~~~~~~~

벌써.. 6번째 탈락이네..
이번엔 느낌 좋았는데..
*물에 빠져 죽는 꿈도 꾸고..
*부자 되는 꿈

에이, 됐어!
정신 차리고..! 얼른 오늘 할 일 해 보자고!
짜악

부들 부들...
끄읏..
끄윽...
큭...

후녜에에...
대체 왜요오...
감정이 흔들리면
하루를 제대로
보내기가 힘들다.

나... 술 한잔
할 수 있는
'합리적 이유'
생긴 거지?
이런 날엔
한잔할 수도 있잖아.
꿀
꺽
아니야..!
기분 안 좋다고 해서
자포자기하면 안 되지.
진지
이러지 말자.
이건 좋지 않아..!

2개월 후
니히힝...
니힝....
이게...
어떻게 된 거지..
아... 그래..

그동안 수많은
취직 준비 실패..
탈락
아흐 벌써
14번째 탈락..!!

아니!!!! 괜찮아..!
난 괜찮아..!
이겨 낼 수 있어!
수없이 했던
자기 최면.

하지만 속으로는
눈치채지 못하게..
조금씩
썩어 가고 있었다.
괜찮..
은..데...

그러다 한두 번씩
홀짝인 게..
두세 번만
적시자.
쫍
쫍

이 지경을
만들어 버렸다.
메

Q 게시판
취직 어렵네요..
다들 어떻게
극복하시나요?
ㅡ: 죽어 쓰레기
ㅡ: 능력 부족인 걸
누굴 탓함?
에에...
에.....
이 시기를 어떻게
극복할 수 있을까?

인터넷 녀석들은
왜 이렇게
따뜻함이라는 게
없냐......
너무
하잖아...
일어나서
방 치우자..
뽀시락
뽀삭
전부 내가
감당해야
할 일이야...
많이도
먹었네..
위잉
커트
햄, 취직 준비 어떻게 되고 있어

흐음~ 그러니까
14번째 서류 탈락을
했다고..?
응...
정말
지쳤어..

나는 지금 거의
200번째 탈락 중이야.
멍..??

햄, 넌 아직도
정신을 꽉 잡고 있어.
어.. 내가?
정신을 아예
놓아 버려야 돼.
아예 맛이
가 버려야 돼.

앞으로
'기관총 갈기듯이'
제안서를 넣어 봐.
느아아아
미친 녀석처럼
아주 그냥 막
찔러 버려.
그.. 그건 그냥
미친 거 아닐까?

내 자소서를 보여 줄게.
토톡
오 좋아!
커트
날 뽑아라
이 쉐끼들아
아?

아, 잘못 보여 줬다.
토독

이거야.
장점
저글링을 함
계란 두 개 동시에
깔 수 있음
물구나무 가능
단점
현미경을
사용했는데도
보이지 않습니다
진짜 그냥
막 썼네?
응.

그리고 괜찮은
회사 몇 개
알려 줄게.
여기랑..
여기..
오.. 오...
이런 데가
있었어..?
다 처음
들어 봐.

근데....
이런 좋은 정보를
알려 줘도 돼...??
응.
너는 그냥
도와주고 싶어.
에..? 왜..?

네가 나한테
'감사 표시'를 했을 때
보용
너는 내 마음을
가져 버렸어.
메엣!..?!!!

내 꿈은
널 성공시켜서
빌딩 한 채
받는 거야.
흑~~
빌딩에 아파트도
사 줄게엣..!!
크크.

햄은 커트의
조언을 받고
공격적으로
이력서를 넣었다.
두두두
두두두
이력서
우아아아아
하루에 메일
30통 보내기잇~
메일 전송
완료
죄송합니다아~~!

그리고 기다리기.
후비농…
음………
뭐……… 삶이
당장 바뀌는 건 없네.

그렇게 한 달.. 두 달..
수없이 탈락했다.
후루룩..
탈락
아 또 떨어졌네...
벌써 30번째..

그리고 생활비를 위한
일도 했다.
뽀시락
뽀시락
슬슬 생활비도
떨어지고 있네..
휴... 덤벼라!
세상아...
아니 덤비지 마..

어느새 나이도
먹어 가고 있었다.
내가 벌써
29살..?
내복약
햄(29세)
사기 아니야?
오케이, 앞으로는
나이를 세지 말자.
처
억

그런 불안한 시기를
버티는 와중에
소소한 재미도
있긴 했다.
띵동
햄~
피크닉 가자!
얏호~

휴... 요즘은 다 살기가
힘든 거 같아.
배 불..
맞아..
나도 잘 버텨야
하는데..

언젠가 좋은 일
있을 거야, 햄.
에휴 이젠 좋은 일
바라지도 않아..
그냥 사는 거지 뭐..

띠링
응?
으유, 또 탈락 메일이냐?
꾸욱

Mail
햄햄이 님의
합격을 축하드립니다

아...으아..
에..아
왜 그래, 햄..?
쥐약 먹었어?
아...
아이...

합격 메일을
받고 우린
정신이 나갔다.

이.. 이것 좀..
봐.. 봐 봐..

에..

에..? 어으..?

일.. 일단 카메라가 있는지 보자..
몰래카메라일 수도 있으니까.
뒤적
뒤적
오케이..!

카메라는 없는 거 같아..
어.. 나도..

그.. 그럼...
히.. 히엑..

햄 축하해엣~
와
락
흐게에에엥~!!

게다가 여기 괜찮은
회사 아니야...??
응.. 맞어..
나한테 과분하지..

하... 하지만
아직 서류 심사만
합격이라..
면접도
봐야 돼..
느앙!

햄... 너는 이제
억대 부자가 될 거야..
전혀.......
잘 돼 봐야
그냥 회사원이야..
그게 얼마나
대단한 건데...

와... 아직도 얼떨떨해...
꽃꽂..

아.. 근데 이 회사
커트가 알려 준 곳인데
커트는
어떻게 됐을까..

토도독
커트야~
너 키위사 결과
어떻게 됐어~?
토독

아~ 거기?
하.......

에....

띠링
합격했어.
뭉클.
흐뉴우우우

낫.. 나도~!
크크
면접 준비
하자.
오케이!

다음 날
좋아.. 면접 연습 한번
해 볼까...
엄숙..
후.......

일단 조금
웃는 얼굴로...
니히
씨..씨익...

눈웃음도
살짝...
파르르르...

그리고
여유 있게..!
인녕하쉽니꽈~
능청
줘는 햄햄이라고
하구요우~

아니야.. 아니야..
좀 더
진중하게..

크흠 음
오케이..
진지..

뭘 봐...
꼽냐?
꽈악..

아냐 아냐 아냐
아니야..
아으
미치겠네..
느에에..
면접은 대체
어디서부터
연습해야 하는지..

아니..! 그냥 '나'를
보여 주는 거잖아..!!
자신감으로
가자..!
처억
떨지 말고 당당하게
하면 되지, 으잉!?

면접 당일
미치겠네..
아...
달달달달달
우흐..
제발 살려 줘...

햄햄이 님!
아, 넵!
끼익..

저.....
안녕하세요오..
탈락입니다.

.....멩?

회사 면접을
보러 온 햄.
탈락입니다.
예..??
아니 그..
아니 그..
벌.. 벌써요?

긴장 푸시라고
농담 한번 해 봤고요.
어땠나요?
앗....
아~
와하하하!
와.. 휴..
재밌..네..요..
대학 졸업 이후엔
뭘 하셨나요?
아~ 그..
알바하면서..
그림도 그리고..
했.. 했습니다.
보여 줄 수
있나요?
예?
아.. 예!

그.. 여기..
흠냐
됐습니다.
흠냐!?
지원 동기는요?
제가 마케팅 업무에
잘 맞는다고 생각하고..
불끈
이 회사를 보자마자
뼈를 묻고 싶을 정도로..
쩝~ 예.
쩝?!

고생하셨습니다.
네.. 네넵!
감사합니다.
....
망했군.
빙글
찰랑

빠
안..
달랑..
어.. 뭐야?
저.. 저..

저저 저 저기요,
햄스터님!
뭔가요, 저저 저거
저 달랑거리는 거?
직접 만드신
건가요?
예..?

아~ 이거요, 네네.
제가 주문 제작한
키링이에요..
오홍홍..
찰랑
귀엽지
않나요...

아뇨, 그냥......
하찮아
보이는데요..
에에..

...그래서
어땠어, 면접?
완전
말아먹었지...
커트 너는?

나는 안 뽑아 주면
간장 원 샷 하겠다고
했어.
그래도
되는 거였어??!
아오 나도
그렇게 할걸!!!

어쨌든..
지나간 일은
지나간 일이니까
마시자..
오케이..

되면 되는 거고
아니면 그냥
아닌 거야잇!!
그래..!
살아 있으면
그만이지..!
헤롱..
그치, 우린 싱싱한
고양이 먹이라고!
?

그렇게 호기롭게
말했지만..
다음날부터
나는 미치도록
핸드폰 알람을
의식하게 됐다.
꼴깍..
꼼지락..

띠링
느게에헤
면접 결과..??!

8857712881992
해외결제
USD 489$
본인아닐시
1128-1283
아, 흔한
보이스피싱이네.

감정도 들쭉날쭉했다.
흐음.. 왠지 느낌이 좋아..
나 좋은 결과 있을지도..?

아니!!!!! 아니야..!!
이런 생각이 들면...!!
크냥
뭔가 부정 탈 거
같잖아..!!
그만 생각해..!!!

의미 부여도
심했다.
엇... 동전이..
바닥에 '떨어졌네'..?
땡그랑
무슨 의미지..?
바닥에
'붙은 거'겠지..?

머리로는
알고 있다.
어차피
일어날 일은 일어나고
아닌 일은 아닌 거야..
그러니까
휴.. 진정하자고...

하지만 기다리는
입장에서..
미칠 것
같아이이잉~!
후게엥~!!

띠링
면접 결과 안내

라면 먹고 있을 때
면접 결과를 봤다.
햄라면
에.....

에..?
으...
에..?
글썽~

어~ 햄!
으으
이
에
?

햄~~
무슨 일이야~?
흐으..

쓰~...

에..?
에...
에...

취직 축하해엣~~!!
후기농옹옹~

내.. 내가 얼마나..
진짜... 응..?
끄이...
끄이
맞아, 고생했지.
고생했어.

뭘 그렇게
울어~
어디 초상
났어~?
어.. 커트!

얘.. 얘가
보기로 했던
커트야..
같은 데에
합격했어..
오, 커트 씨!
얘기 많이
들었어요.
저도요.

우울한 거
좋아하신다면서요.
사랑하죠.
둘이 어두침침한 게
궁합이 딱이야, 흐유.

얼른 마시자!
건배사
해야 되나?
흐이..
난 그런 거
못해..
둘이 해 줘..

오케이!
앞으로 시작할
개고생을 위해!
척억
착실하게
잘 죽어 가기
위해~
야, 이 악마들아!
고마워~

보옹....
우린 이제
베프다..
최고로
재밌었어..

저벅저벅..
엽서
키링
스티커
그림책
그동안 살려고 별의별 짓을 다 했구나..
헤에...
나 대체 어떻게 살아남았을까..

앞으로도.....
꼬옥..
잘 살아갔으면...

휴... 첫 출근 날..
후우..
후우...
미치겠네,
이거...

꾸욱...
지옥철..
이런 거구나..
와글
바글
손을 어디다
둬야 할지
모르겠네..

반짝
회사다...
후게에에에 떨려엇....

이분한테 배우시면 됩니다.
아, 넵!

안녕하세요?
저는 토깽이라고
하고요.
안녕하세요,
햄햄입니다.
그럼..
준비되셨죠?
예?

죽을 준비요.
오싹…
호뇨뇨
호뇨뇨뇨?

회사에 합격하고 나서
나는 미쳐 있었다.
중얼 중얼...
이 회사가
날 살렸어..
이 회사는
구세주야..

나는 여기에
뼈를 묻을 것이다.
이 회사는
'신'이고
여긴 내
'종교'다.
비장
애사심
MAX

그리고 현재
죽을 준비
되셨냐고요?
네?
죽을 준비?
버
엉...
갑.. 갑자기
어떤..?

이건 이렇게
저건 저렇게!!!!
너무 빨라
제기라알
투다다다닷
지금 당장 프로가
되라고요오옷!!!!

햄 님, 잘하고
계시나요?
부장님?
에..?
복.. 복장이..

컨셉 어때요?
재밌죠?
MZ들이
좋아할 거
같죠?
아...
예......
반응이
약하네.

아.. 아니..! 와우우
너무 최고시네요!
와아~!!
처억
휙
합격.

휴........
탕비실
쉽지 않네...

햄 님,
때려치우고
싶죠?
예?
아. 아니
아니 아니
전혀요

이분
때려치우고 싶대.
아..
진.. 진짜..?
느아아 아
아니 아니
진짜 아네요
진짜로
큭큭.

퇴근.
추욱~...
에에

고생했어요.
아, 네 네.

햄 님 키링 봐. 귀엽지?
와, 진짜 귀엽네요!
직접 만들었대.
에~?

내가 키링 보고
뽑았잖아.
와, 능력자셨네!
에.. 아니,
이건 그냥 다 하는 건데..

같이 파이팅 해 보자고요.
이 위대한 회사에서!!!
버럭
어우~
처억
아, 네네!
그럼요!

찰그락
....

헤에..
이거..
잘 만들었네..

휴~
어땠어, 햄?
오, 커트!
난 완전히
미쳐 버릴 뻔 했지.
나도.

아무튼..
중소기업이긴 해도
야근 없고..
신입 월급도 200 초반.
쭈욱
고졸인 나한테는
진짜 최고의 직장이야.

근데 회사 사람들이
전부 맛이 간 거 같긴 해.
그건
그렇지.
그래서 좋아.
심심할 일 없고.
그치.

다음 날
오늘
제 복장 어때요?
아...
조금은..
심심했으면
좋겠다.
신나는
회사 생활이
시작된다!

회사 생활 한 달째..
놀랍게도 아직
안 잘렸다..

솔직히.. 아직도
어리바리한데..

타닥닥

나 어떻게 아직
여기 있는 거야..?

여기 분위기도
어느 정도
익숙해졌다.
햄 님,
오늘 내 복장
어때요?
처억
최고요,
부장님.

애사심도 적당히
남아 있다.
난 이 일이 좋아...
근데 아직
점심시간 안 됐냐?

회사 생활 중
가장 즐거운 일은
시간 날 때
쪽잠 자기.
헤헹...
이러려고 일부러
밥 빨리 먹었지..

물론 직원들은 날
가만 냅두지 않는다.
후들..
뭐 더
올릴 거
없어?
여..
여기..
휴~

장난이 좀 심하긴 한데..
그래도 뭐.. 재밌다...
후들..
누가 이랬냐고요,
진짜아..
크크, 잘하시네~
잘한다!

일 끝나고 커트랑
맥주 마시는 것도
낙이다.
키야앗
달다앗
달아.

규모는 작아도
괜찮은 회사야..
마음만 먹으면
뼈를 묻을 수도
있겠어.
난 우리 회사의
석유가 되려고..

요즘 일 끝나고
뭐 해?
나야 폭음 폭식하고
널브러져 있지.
넌 그림 그리지?
아니...
손 놓은지
벌써 몇 달 됐어.

에.... 그건 좀..
팬으로서 아쉬운데~?
빠안..
에...?
넌 그림으로 세계를
지배할 수도 있다고..

대체.. 누가...
그림으로 세계를
지배해..?
너.
얼탱.
아니, 진짜.

음......
사실 안정적인 생활도
좋긴 한데...
머엉....
뭔가 머리가
단순해지는 거 같아..

그래, 모처럼 내일
쉬는 날이니까
개인 작업 다시 한번
해 보자..!

과자 좀
잔뜩 먹으면서..!
콰삭
콰삭
으히히..

그렇게 약 1개월
후우..
요즘
잠이 부족해..
힘내자.
약 2개월
흐음
쓱쓱
나름 열심히
했다고 생각한다.
그 결과
살만 쪘다.
포동...

아니...... 두 달간
아무 성과도 없고...
때려치울까나..
그래~
발랑
포기하는 것도
용기다..!
....
근데....
역시 그만두는 것도
어려웠다.
또 그만두려니까
뭔가 좀...

3주 후
띠링
?

Mail
[전시 참가 제의]
오래전부터
햄 님의 그림을
봤습니다. 이번
단체전에 참가 제안
합니다.
뇨?

흐게엥에엥
이거 내 꿈인데에~
응?
왜 울어요?
회사가
너무 좋아서?
...끄덕끄덕

전시 준비는
수월했다.
그동안 그리셨던 거
몇 개만 보내 주시면
됩니다!
개꿀?

전시 날은
곧 찾아왔다.
햄작가
웅성
웅성
두근
두근..
에....
2시간 뒤
햄작가
훼 엥...
또.. 아무도
안 오는 거냐...
히
기
잉..

햄~~~~
SNS 보고
왔어~~
촙촙..
느에엥??

프록~ 림보~!
요즘 어떻게 지내??
나는 이번에
앨범 냈고~
나는 필라테스
강사 준비 중!

와~~
술은 이제 안 먹어?
어제도
밤새 달렸어.
나도.
이 정도면
대단해.

놀랍게도
팬분들도 오셨다.
팬입니다..
파들파들
예...?
뭘 잘못 알고
오신 거 아녜요?
예?
그런가?

회사 사람들도
왔다.
햄 님,
남대문 열렸어요.
예???
큭큭.
애.. 애초에
바지도 안 입었는데..

세라 님도 왔다.
햄 님 핥아야지~
챱
음~ 천재 맛!
그.. 그런 맛 안 나요..

물론 좋은 일만
있던 건 아니었다.
뭐야?
요즘 이런 애들도
'작가'라고?
어이가 없어서
아오 확 그냥!
.....공감합니데이...

그래도 전체적으로
괜찮은 경험이었다.
뇨잇..
뇨잇
흐이이

와우, 전시 첫날 끝났네.
기분 어때?
곧 세상을
다 가질 거 같지~!

아니…….
세상에 두드려 맞지나
않았으면 좋겠어…
흐 덜덜 덜덜..
그치.
그건 맞아.

그래도 지금까지 살아 있고
뭔가 하고 있다는 게 어디야.
쓱쓱쓱
뭐... 뭐야.
날 울리지 마.

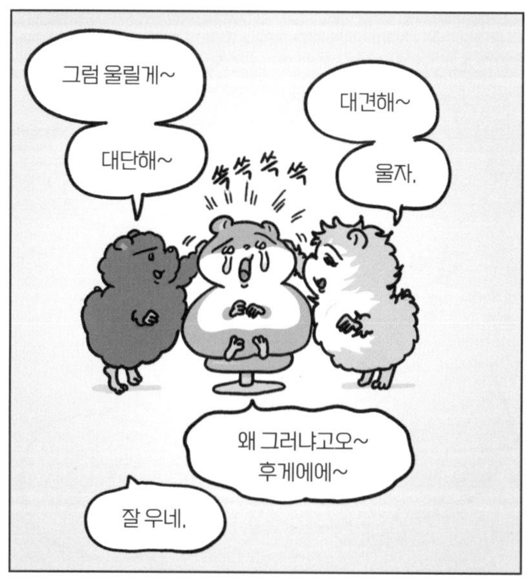
그럼 울릴게~
대단해~
대견해~
울자.
쓱쓱 쓱 쓱
왜 그러냐고오~
후게에에~
잘 우네.

무에엥...
울쥐
넌 왜 울어?
얘가 우니까..
돌겠네.

전시가 끝난 뒤 햄은
평범한 일상으로 돌아왔다.
흠냐...
달칵...
달칵..
뭔가..
큰 변화가 없네...

평범하게 업무 도중
몰래 간식 먹고
롤리
롤리
롤리
4의쮸

평범하게 시도 때도
없이 늘어지고
흐이에에....

평범하게 가끔
취미 생활하고
으키킥킥
2시간째
딴짓 중

평범하게 퇴근 후에 마시고
키야앗
달다앗
달아아

커트~~
여러 가지로 고마워.
네 도움을
많이 받은 거 같아.
덕분에
취직도 하고.

다 네가 한 거지.
네가 실력으로
합격한 거고.
네가 나라는
햄맥을 얻은 거지.
에?

그런가....
솔직히 전부
운 같은데..
나는 정신
빠진 햄이야..
매일 어리바리하게
살잖아..
아니지!!

어리바리해도
뭔가 하는 게
대단한 거지.
두 웅...
읏...?

오늘 뭔가
스윗하네~?
다 네가 한턱
쏘게 만드는 거지.
큭큭.

이제
가자.
응.
비틀
에

발랑
아
진짜 어리바리
하긴 하네?

자!
촵

쓰윽..
어.. 어어

휘익
에....??
두근
두근
두근
뇨..?
햄.. 이건 좀
평범하지 않은 거
같다?

빨리 가자.
내일도 살아야지.
찹
찹
찹
어어.. 응!

아무튼... 흔한 햄의
흔한 삶은 계속된다.

잇선의 편지

말도 안 돼, 말도 안 돼, 말도 안 돼에에엣~~~!

흔한 햄 1부가 끝이 났네요. 오오~~
게다가 커트와의 묘한 러브 라인까지...
2부는 아마 햄의 연애 얘기 위주로 진행될 거 같은데요~
재밌을 거 같지 않나예...

연애도 삶의 한 부분이니까
아무래도 뭔가 심경의 변화라든지..
재밌는 일이 많을 거 같습니다.
사실 제가 로맨스 영화 같은 거 많이 보거덩예..
그래서 기대가 되네요.

솔직히 내용이 어디로 갈지는 저도 잘 몰라요..
어느 지점부터는 제 의지대로 진행되지 않아서요.
과연 어떻게 될지.. 호호홍..

1부에서 햄이 적당히 잘 정착해서 다행이었습니다.
엔딩이 이렇게 될지 예상 못 했거든요.

물론 또 햄한테 쉽지 않은 날이 오겠지만,
그래도 살다 보면 좋은 날도 오겠지용.

햄이 힘내는 만큼 저도 힘내고 싶네요.

최대한 그림을 열심히 그려서, 독자분들께 생존 신고도 하고,
소통도 많이많이 해 보고 싶습니다.. 뇨호호홍

햄 얘기를 봐 주셔서 감사합니다.
항상 건강하게 지내시길 바랄게요~

흔한햄 ❷

초판 1쇄 인쇄 2024년 7월 5일
초판 1쇄 발행 2024년 7월 12일

지은이 잇선
펴낸이 최순영

웹툰본부 본부장 김형준
편집 배재성

펴낸곳 ㈜위즈덤하우스 **출판등록** 2000년 5월 23일 제13-1071호
주소 서울특별시 마포구 양화로 19 합정오피스빌딩 17층
전화 02) 2179-5600 **홈페이지** www.wisdomhouse.co.kr

ISBN 979-11-7171-206-9 07810
ISBN 979-11-7171-204-5(세트)